DATE DUE

Mi papá es un tlacuilo

A mis hijos.

© 2012, Sandra Siemens
© Carvajal Educación, S.A. de C.V.
  Bosques de Duraznos 127-2o Piso,
  Bosques de las Lomas,
  México D.F C.P. 11700

Primera edición, octubre de 2012

Dirección editorial: Lorenza Estandía González Luna
Edición: Aline Hermida Cortés
Cuidado editorial: Georgina Cárdenas Corona
Diagramación: Alfonso Reyes Gómez
Ilustraciones: Tania Juárez

Impreso por Cargraphics, S.A. de C.V.
Impreso en México – *Printed in Mexico*
Primera impresión, octubre 2012

CC: 29005340
ISBN: 978-607-722-065-7

Mi papá es un tlacuilo

Sandra Siemens

Ilustraciones de Tania Juárez

Norma

Bogotá, Buenos Aires, Caracas,
Guatemala, Lima, México, Panamá, Quito,
San José, San Juan, Santiago de Chile

Mi papá es un tlacuilo.

Para mí, el oficio de mi papá
es el más lindo del mundo
porque los tlacuilos pintan
palabras.

Él me enseña lo que sabe
porque cuando yo sea gran-
de también seré un tlacuilo.

Abro las orejas como se abre
la mañana para descubrir los
sonidos nuevos.

Y hago tanta fuerza para mirar cada movimiento del cuerpo de mi padre que por la noche me duelen los ojos.

Las palabras vuelan por el aire, son mariposas transparentes. Hay que estar muy atento cuando te pasan cerca.

Y hay que saber mucho,
como sabe mi padre, para
poder atraparlas y escuchar
lo que dicen. Sólo así
un tlacuilo podrá pintar
esas palabras en los libros
sagrados.

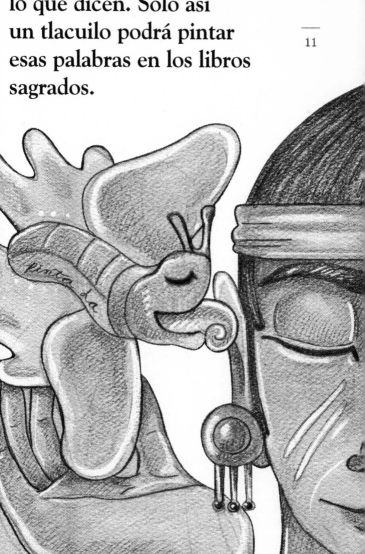

Nosotros, mi padre, mi madre, mis hermanos, mis abuelos... todos nosotros somos mixtecas. Tenemos muchos dioses.

Algunos son buenos y otros temibles. El dios más importante es el dios de la lluvia.

Nosotros, los mixtecas, tenemos dos piernas y dos brazos y una nariz y dos orejas y dos ojos y diez dedos en las manos y diez dedos en los pies.

Somos muy parecidos a la otra gente que vive más allá de la selva.

Yo sé porque lo escuché de
los ancianos de mi pueblo,
que hay gente que cuenta
el tiempo de otra manera.
Nosotros lo contamos así:

Un año tiene dieciocho meses. Un mes tiene veinte días. Los días se llaman: Lagarto, Viento, Serpiente, Venado, Conejo, Agua, Perro y así.

Ayer fue Conejo y mi padre
estuvo todo el día pintando
unas palabras muy hermosas
en el libro que está escribiendo.

Amoxli.

A los libros, nosotros les decimos amoxli.

Hoy, mi padre se levantó con el sol y fue a despertarme.

Yo lo acompaño todos los días mientras escribe pintando. Así aprendo.

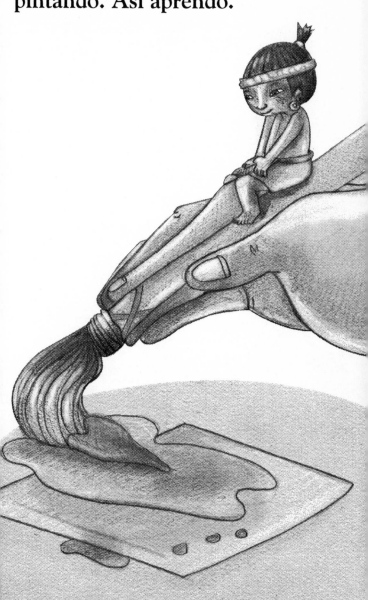

Antes de empezar el trabajo, mi padre y yo compartimos un tazón de chocolate con miel.

Yo soy el encargado de traer sus pinceles y sus tintas rojas y negras.

Son muy importantes la tinta roja y la tinta negra. A mi padre se las dio mi abuelo.

Algún día, cuando yo sea un tlacuilo, la tinta roja y la tinta negra serán para mí.

No sé qué forma tendrán los libros en otros lugares.

Pero si los ancianos dicen
que la gente que vive más
allá de la selva es parecida
a nosotros, que tienen dos
piernas y dos brazos, tal vez
sus libros sean como los
nuestros.

Nuestros libros son largas
tiras de papel de amate o de
piel de venado. Y cuando ya
están listos, se pliegan

así, como una oruga.

Antes de empezar a aprender el oficio de tlacuilo tuve que aprender cómo se hace el papel de amate.

"Un buen tlacuilo tiene que saber elegir el amate donde va a pintar", dice siempre mi padre. Dice que el papel de amate es importante, porque ahí es donde duermen las palabras.

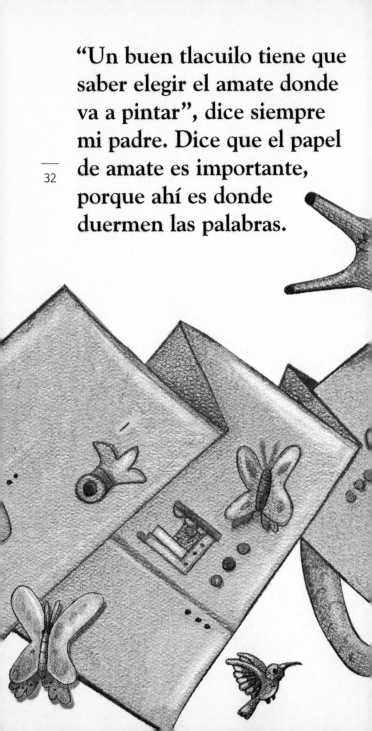

Si el papel es malo, las palabras se irán borrando. Si es bueno, tendrán un sueño largo y dulce.

Mi abuela me enseñó cómo se hace:

Primero se hierven las cortezas del árbol de amate en agua con ceniza. Se enjuagan y se extienden sobre una tabla. Después viene la parte que más me gusta:

Hay que golpearlas con una piedra hasta que queden láminas finitas, finitas. Y se dejan secar al sol.

Yo me doy cuenta de cuando están listas, porque se vuelven del color de la miel.

El día de hoy se llama Agua.

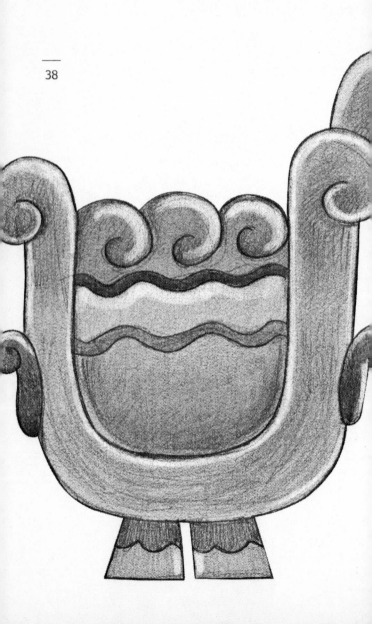

Hoy muy temprano han venido los sacerdotes y los sabios que saben leer el cielo.

Vinieron a hablar con mi padre, porque el libro que está pintando habla de estrellas y de lunas y de soles.

Le cuentan lo que han leído
en el cielo para que mi padre
lo pinte en su libro.

Me permiten escuchar porque algún día seré yo quien tenga que pintar lo que dice el cielo. Pero por ahora no entiendo nada de lo que hablan.

Le cuentan a mi padre cuándo la luna cubrirá al sol y el cielo quedará oscuro. Y le cuentan también cómo y por qué la primera estrella de la tarde cambia de lugar.

Escucho en silencio porque sé que es muy importante lo que dicen los sabios.

Eso que leen en el cielo nos permite saber cuándo plantar el maíz o cuánto tiempo durarán las lluvias y muchas cosas más.

Cuando los sabios y los sacerdotes se van, mi padre se queda en silencio, sentado sobre sus talones, con los ojos cerrados.

Yo sé qué es lo que está haciendo. Me lo ha explicado muchas veces. Está llevando las palabras que hablaron los sabios hasta lo más hondo de su corazón.

Es un viaje difícil. Tiene que
ir llevándolas juntas, como
van las hormigas, sin que se
pierda ninguna.

Después, cuando pinte las palabras en el libro, serán palabras salidas de su corazón. Así los tlacuilos se aseguran de no equivocarse. Si salen del corazón serán palabras verdaderas.

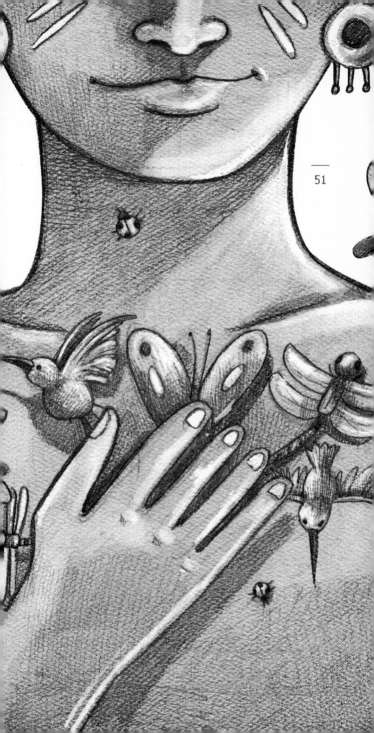

Dice mi padre que lo que está escrito en los libros es nuestro tesoro.

Que las palabras que él escribe también suenan.

Pero que cuando él las escribe les adormece el sonido.

Dice que cuando muchos años más adelante, otros tlacuilos lean en voz alta los libros que él escribió, esos sonidos se despertarán y le hablarán a la gente.

Le contarán todo lo que nosotros sabemos ahora.

Dice que esa es la única manera de que los que vengan después sepan cómo hemos sido. Y que eso es muy importante.

Ser tlacuilo no es nada fácil.

Muchas veces no comprendo las cosas que me dice mi padre.

Pero ahora me parece que sé qué quiere decirme.

Hay una historia que escribió un tlacuilo mucho antes de mi padre. A mí me encanta escucharla.

Cuenta la historia de un gran guerrero que se llamó *Garra de Jaguar*.

Él peleó contra todos y los fue venciendo. Era valiente y feroz. Sus enemigos temblaban de sólo mirarlo.

Yo no había nacido cuando *Garra de Jaguar* hacía la guerra por estos mismos lugares. Si un tlacuilo no hubiera pintado sus aventuras, yo no hubiera sabido de él.

Por eso dice mi padre que los libros son nuestro tesoro.

Hoy, que es Agua, después de que se fueron los sabios, mi padre se pasó todo el día en silencio,

alejado del lugar donde pinta palabras en el largo papel de amate.

Yo no lo interrumpí ni una sola vez.

Me senté en un rincón con mi pincel y mis pinturas y practiqué en una piel de venado. Dibujé cinco luciérnagas y un colibrí (huitzilin, le decimos nosotros) de plumas verdes y azules. Quedaron lindos.

Pero yo todavía no soy un
verdadero tlacuilo, mis dibujos
no saben hablar como los que
pinta mi padre.

Cuando el sol empezó a
esconderse detrás de las
montañas, junté los pinceles
y las tintas.

Vuelvo a mi casa y mi
madre me espera con tortilla
y calabaza. Como y me voy
a dormir.

Mañana será Perro. Estoy seguro de que será un gran día porque mi padre pintará todas las palabras que tiene en el corazón.

A mitad de la noche me despierto asustado, llorando. Tuve una pesadilla horrible.

Soñé que unos hombres blancos venían en barcos desde más allá del mar.

Eran parecidos a nosotros, porque tenían dos piernas y dos brazos y dos ojos y una boca.

Pero también eran diferentes
porque no entendían nuestro
mundo.

No les gustaba.

Mataban todo lo que tenía
vida y destruían todo lo que
encontraban.

Soñé que esos hombres, parecidos a nosotros, gritaban que lo que estaba escrito en nuestros libros era obra del mal.

Encendían enormes fuegos
y quemaban todos los libros
que los tlacuilos habían
pintado.

Por suerte fue un sueño.

Me levanto y me asomo a través de la ventana. Respiro hondo el aire fresco de la noche. En el cielo están

las mismas estrellas que mi padre pinta en el papel de amate.

Todo está en orden. Vuelvo a acostarme y de poco a poco me quedo dormido otra vez.

La pesadilla regresa.

El libro que mi padre ha pintado, lleno de colores, plegado como una oruga, no estaba en el fuego.

Se había salvado.

Viajaba por el mar.

Lejos.

Las palabras estaban muertas porque no había tlacuilos que supieran leerlas en voz alta para devolverles el sonido.

Y luego era escondido. Y más tarde lo vendían. Y lo volvían a vender.

Y pasaba de mano en mano
hasta quedar perdido en me-
dio de otros libros diferentes
a los nuestros.

Me despierto temblando.

No vuelvo a dormir porque no quiero soñar de nuevo.

Me quedo asomado hacia la ventana.

Las estrellas siguen en el cielo azul oscuro y dentro de un rato, con la luz del amanecer, se irán borrando.

Todo está bien.

Hoy ya es Perro. Será un gran día porque mi padre pintará todas las palabras que tiene en el corazón.

Apenas salga el sol yo
despertaré a mi padre,
compartiremos un tazón de
chocolate con miel y abriré
las orejas como se abre la
mañana, para aprender a ser
un buen tlacuilo y pintar
hermosas palabras que digan
cómo somos nosotros, los
mixtecas, para siempre.

Mi papá es un tlacuilo
se teminó de imprimir en el mes de octubre de 2012
en los talleres de Cargraphics, S.A. de C.V.
Aztecas 23, Col. Santa Cruz Acatlán
Naucalpan de Juárez, Estado de México
C.P. 53250, México